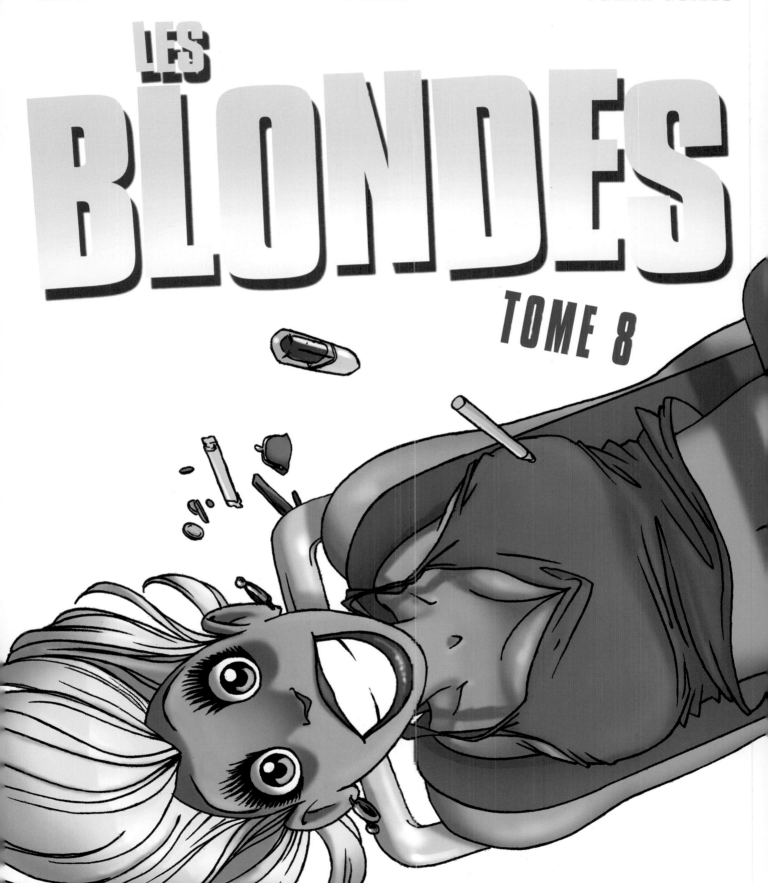

Celui-là, il est pour Stéphane.

VANESSA ? TU PRENDS LE TÉLÉPHONE ?

TIDIIIT ! TIDIIIT !

ALLÔ ?

VANESSA ? C'EST KIM !

OH, BONJOUR KIM !

C'EST KIM...

VOUS ÊTES OÙ, LÀ ?

ATTENDS, JE REGARDE... CEN...

CENDISSE. ON EST À CENDISSE !

110

ET VCUS AVEZ PENSÉ À PRENDRE LES...

AH, KIM, À TOUT À L'I-EURE...

COMMENT ?

MAIS... VANESSA... POURQUOI TU LUI AS RACCROCHÉ AU NEZ ?

CLIC.

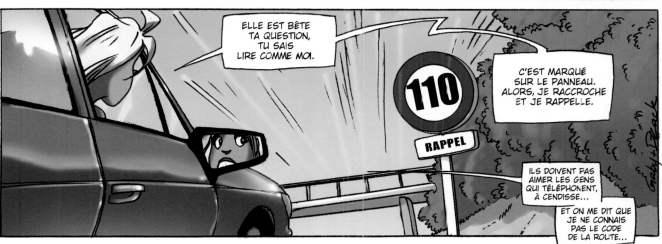

ELLE EST BÊTE TA QUESTION, TU SAIS LIRE COMME MOI.

110

RAPPEL

C'EST MARQUÉ SUR LE PANNEAU. ALORS, JE RACCROCHE ET JE RAPPELLE.

ILS DOIVENT PAS AIMER LES GENS QUI TÉLÉPHONENT, À CENDISSE...

ET ON ME DIT QUE JE NE CONNAIS PAS LE CODE DE LA ROUTE...

LES LOIS DE LA TRACTION

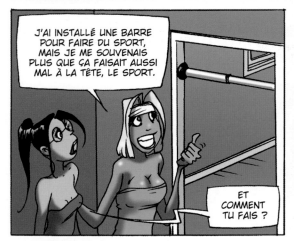

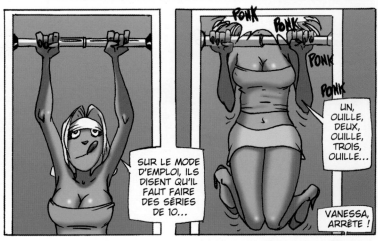

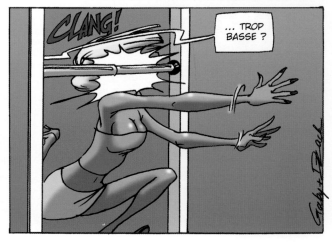

4

QUESTION PIÈGE

C'EST VRAI ?

MAIS NON, TU VERRAS, C'EST COMME LA DERNIÈRE FOIS, ÇA VA BIEN SE PASSER.

PFFF, IL PARAÎT QUE L'EXAMINATEUR EST SUPER DUR, AUJOURD'HUI.

ON VA FAIRE PAREIL... JE LAISSE LA PORTE OUVERTE ET TU ÉCOUTES LES RÉPONSES, D'ACCORD ?

D'ACCORD !

BONJOUR, MADEMOISELLE... SANDY, VOUS ALLEZ VOIR, C'EST TRÈS SIMPLE.

JE VAIS VOUS POSER UNE QUESTION. PRENEZ VOTRE TEMPS POUR RÉPONDRE.

D'ACCORD

C'EST LA FILLE DE VOTRE MÈRE, MAIS CE N'EST PAS VOTRE SOEUR, QUI EST-CE ?

HEUUUU "LA FILLE DE MA MÈRE ? QUI EST PAS MA SOEUR."

PFFF, C'EST DUR !

UN ÉLÉPHANT FACTEUR ? NON... UNE GRENOUILLE ? PFFF....

JE SAIS !

C'EST MOI !

B'EN, VOUS POUVEZ APPELER LA CANDIDATE SUIVANTE !

TU AS BIEN ENTENDU ?

OUI, C'EST FACILE EN FAIT ! JE FERAI SEMBLANT DE CHERCHER...

BIEN, MADEMOISELLE... VANESSA. VOICI LA QUESTION.

C'EST LA FILLE DE VOTRE MÈRE, MAIS CE N'EST PAS VOTRE SOEUR, QUI EST-CE ?

MMM...

JE SAIS !

C'EST SANDY !

5

MON TRUC EN PLUME

TU TE RENDS COMPTE, DANS LE GUIDE, ILS DISENT QUE L'AUTRUCHE A LE CERVEAU PLUS PETIT QUE LES YEUX !

ET ALORS ?

NON, RIEN...

ENCÉPHALOSUCION

AVEC ÇA, JE DOIS AVOIR CE QUI SE FAIT DE MIEUX POUR MAIGRIR ! J'EN AI POUR COMBIEN ?

600 EUROS, MADAME.

AH ?

ET JE VAIS PERDRE COMBIEN, D'APRÈS VOUS ?

MMM... JE DIRAIS DANS LES 600 EUROS...

PLONGÉE PLUS PROFONDE

MA CHÉRIE ! TU VAS BIEN ? TU AS FAIT UN INCIDENT DE PLONGÉE ?

OUI, POURTANT, J'AI BIEN SUIVI CE QUE LE MONITEUR A DIT, CETTE FOIS.*

* VOIR " PLONGÉE PROFONDE ", DANS LE TOME 7.

PLONGER EN ARRIÈRE, PLONGER EN ARRIÈRE.

JE L'AI RÉPÉTÉ TOUT LE TEMPS POUR NE PAS FAIRE COMME LA DERNIÈRE FOIS.

TU AS PLONGÉ SUR UN ROCHER ? C'EST ÇA ?

NON, NON...

LE MONITEUR A DÉCIDÉ DE NOUS FAIRE PLONGER DEBOUT.

PLONGER EN ARRIÈRE, PLONGER EN ARR...

AH. TU ES LÀ !

NOUS SOMMES VENUES AUSSI VITE QUE POSSIBLE !

TU VAS BIEN ?

OH OUI, TATA VANESSA S'OCCUPE BIEN DE MOI, ON JOUE AU JEU DES ÉNIGMES !

UN ÉLÉPHANT FACTEUR ? NON...

MAIS COMMENT TU T'ES FAIT ÇA MA CHÉRIE ?

ON SE PROMENAIT DANS LA RUE ET TATA VANESSA A REMARQUÉ QUE MON LACET ÉTAIT DÉFAIT.

OH, FAIS ATTENTION, C'EST TRÈS DANGEREUX UN LACET DÉFAIT, TU PEUX TE FAIRE TRÈS MAL SI TU TOMBES.

OUI, TATA VANESSA, MAIS JE SAIS PAS TRÈS BIEN FAIRE MES LACETS.

C'EST TRÈS SIMPLE, FAIS COMME MOI. TU POSES LE PIED SUR LE PETIT MURET, LÀ, ET TU TE PENCHES POUR FAIRE UNE ROSETTE AVEC LE LACET...

... COMME QUAND TU FAIS UN JOLI COLLIER À TOTO LE HAMSTER.

UNE GRENOUILLE DANS UN MIXER ? NON...

ET ALORS ?

J'AI FAIT EXACTEMENT CE QUE TATA VANESSA M'A DIT.

J'AI POSÉ LE PIED SUR LE MURET ET JE ME SUIS PENCHÉE POUR FAIRE UNE ROSETTE.

MAIS JE ME SUIS TROMPÉE DE PIED.

BRAK !

Gaby + Dzack

DRELINODRELINI...

DRELINO DRELINI...

DRELI...

COUCOU, VANESSA, ÇA VA ?

PFFF, TU SAVAIS QUE C'ÉTAIT MOI ? COMMENT TU FAIS POUR JAMAIS TE TROMPER ?

J'AI L'INDICATEUR D'APPEL, VANESSA, JE TE L'AI DIT, IL AFFICHE LE PRÉNOM DE CELUI QUI APPELLE.

AH, L'INDICATEUR...

LA PROCHAINE FOIS, JE L'APPELLERAI AVEC TON TÉLÉPHONE, ON LUI FERA UNE SURPRISE.

BEN NON, ÇA SERA PAS UNE SURPRISE PUISQUE ÇA SERA MARQUÉ QUE C'EST TOI...

OUAIS, OK...

TU ARRIVES QUAND ?

DANS UNE DIZAINE DE MINUTES, JE CROIS... SI VOUS VOULEZ M'ATTENDRE, JE SUIS DANS LA VOITURE 15.

AH BON ? TU ES VENUE EN VOITURE ? TU N'ES PAS VENUE EN TRAIN ?

L'AFFAIRE EST DANS LE SAC.

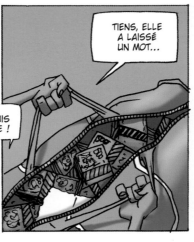

BOUGE TON CORPS

DONNÉ C'EST DONNÉ

LA MEILLEURE

...TU VAS VOIR, C'EST UNE SURPRISE...

OH OUI, J'AIME BIEN LES SURPRISES !

OH, DES FLEURS !

MAIS NON, C'EST LA CHAÎNE STÉRÉO !

NON, NON, CE SONT DES FLEURS, REGARDE...

OUI, MAIS LA CHAÎNE, ELLE Y ÉTAIT PAS, AVANT.

AH ?

ET TU VAS VOIR, ELLE RÉAGIT AU DOIGT ET À L'OEIL.

CLIC ! ... CAR JE RESTERAI... TA MEILLEURE AMIE ! JE SERAI LÀ, TOUJOURS POUR TOI...

OH, C'EST LORIE, J'AIME BIEN LORIE !

CLIC

ON PEUT MONTER LE SON...

N'IMPORTE OÙ QUAND TU VOUDRAS,

OH !

JE SERAI, TOUJOURS LA MÊME...

CLIC

UN PEU BOHÈME, PRÊTE À FAIRE DES FOLIES...

ET BAISSER LE SON...

OHHH !

CLIC

CLIC

ESSAYE !

JE SERAI, MÊME SI LA VIE NOUS SÉPARE, CELLE QUI TE REDONNERA L'ESPOIR

CLIC

CLIC

ON NE LAISSERA RIEN AU HASARD

ON NE LAISSERA RIEN AU HASARD

ALLEZ, TIENS !

C'EST GÉNIAL ! IL Y A AUSSI UNE TÉLÉCOMMANDE !

CAR TU SAIS QUE JE RESTERAI TA MEILLEURE AMIE

VIENS, ON VA FAIRE LA LESSIVE !

JE PEUX T'AIDER, TATA VANESSA ?

TU PEUX TRIER LES AFFAIRES, SI TU VEUX.

OH OUI, D'ACCORD !

TATA VANESSA, J'AI FINI !

JE LES AI TRIÉES PAR MARQUES. PAR ORDRE ALPHABÉTIQUE.

C'EST BIEN, HEIN ?

LÀ, C'EST COMME ÇA QU'IL FAUT LES TRIER, PAR CYCLE DE LAVAGE.

AHH-HH...

MOI AUSSI, AU DÉBUT, J'AVAIS DU MAL...

TATA VANESSA, JE PEUX LAVER MON TEE-SHIRT LORIE ?

BIEN SÛR, MA CHÉRIE !

JE LE METS SUR QUELLE PILE ?

ÇA DÉPEND, QU'EST-CE QUI EST ÉCRIT SUR TON TEE-SHIRT ?

BEN, LORIE !

15

ET LÀ, NOUS AVONS LA SALLE MULTISPORTS, ÉQUIPÉE DES DERNIÈRES INNOVATIONS, C'EST LÀ QUE VOUS TRAVAILLEREZ.

COMME VOUS LE CONSTATEZ, L'ACADÉMIE SE DOIT D'ÊTRE À LA POINTE DE TOUTES LES MÉTHODES D'ENSEIGNEMENT !

J'ESPÈRE QUE VOUS VOUS SENTIREZ À VOTRE AISE CHEZ NOUS...

CE SONT LES PHOTOS DES ÉQUIPES DE BASKETS ?

BONK !

95-96

96-97

97-98

98-99

OUI, CE SONT LES PHOTOS DES ÉQUIPES DES DIFFÉRENTES PROMOTIONS DE L'ACADÉMIE...

PERMETTEZ-MOI DE VOUS DIRE QU'AVEC MOI, LA SITUATION VA CHANGER, MADAME LA DIRECTRICE.

BIEN !

MAIS HEU... HEU... COMMENT ? POURQUOI ?

JE VOUS GARANTIS QUE L'ÉQUIPE DE BASKET DE L'ACADÉMIE NE PERDRA PLUS SES MATCHS ! MÊME SI LES SCORES ÉTAIENT SERRÉS !

ÇA S'EST JOUÉ À UN POINT PRÈS À CHAQUE FOIS, MAIS UNE DÉFAITE EST UNE DÉFAITE !

JE SENS QUE JE VAIS ME PLAIRE, ICI...

Gaby + Zack

ALLÔ ? ANNE ? TU M'ENTENDS ? HOUHOU !

NON, JE T'ENTENDS BIEN, MOI.

VANESSA ? ALLÔ ? LA LIAISON EST SUPER MAUVAISE !

JE N'ENTENDS QU'UN MOT SUR DEUX !

J'AI J'AI TROUVÉ TROUVÉ UNE UNE IDÉE IDÉE !

JE JE DIS DIS DEUX DEUX FOIS FOIS...

JE NE COMPRENDS RIEN ! IL Y A UN ÉCHO TERRIBLE !

ATTENDS, JE TE RAPPELLE !

CLIC.

BOUBA ! BOUBA !

OH, QUI ÇA PEUT ÊTRE ?

ALLÔ ? QUI C'EST ?

BEN, C'EST MOI, JE T'AI DIT QUE JE TE RAPPELAIS !

AH ?

ATTENDS. MA BOUCLE D'OREILLE ME FAIT MAL, JE VAIS CHANGER D'OREILLE.

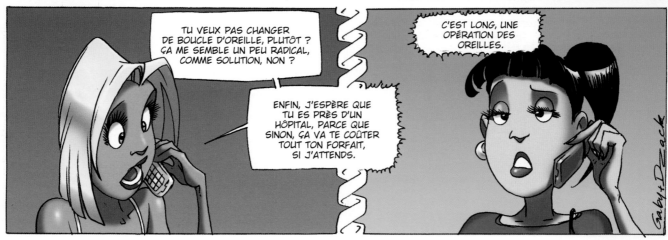

TU VEUX PAS CHANGER DE BOUCLE D'OREILLE, PLUTÔT ? ÇA ME SEMBLE UN PEU RADICAL, COMME SOLUTION, NON ?

C'EST LONG, UNE OPÉRATION DES OREILLES.

ENFIN, J'ESPÈRE QUE TU ES PRÈS D'UN HÔPITAL, PARCE QUE SINON, ÇA VA TE COÛTER TOUT TON FORFAIT, SI J'ATTENDS.

DONNEZ DES SOUS POUR LA RECHERCHE !

ENCORE UN ÉLEVAGE DE VOLAILLES TOUCHÉ PAR LE H5N1, LE VIRUS DE LA GRIPPE AVIAIRE. DIX MILLE POULETS ONT ÉTÉ ABATTUS SUR-LE-CHAMP.

MAIS C'EST TERRIBLE !

C'EST VRAI, MAIS MIEUX VAUT LES ABATTRE QUE L'ÉPIDÉMIE NE SE PROPAGE.

PFFF, OUI, MAIS QUAND JE PENSE QU'ON SE DEMANDE PARFOIS SI C'EST UNE PROFESSION À RISQUE...

DIX MILLE, ÇA FAIT BEAUCOUP, TOUT DE MÊME...

TU PENSES AUX FAMILLES ?

LE PHARE DU BOUT DU MONDE

... ET DANS LE TUMULTE, STEVE ROGERS, CAPTAIN AMERICA, A ÉTÉ TUÉ À BOUT PORTANT. UNE JOURNÉE DE DEUIL EST...

TU TE RENDS COMPTE, C'EST TOUT DE MÊME TERRIBLE, CE QUI LUI EST ARRIVÉ.

OUI, MAIS POURQUOI ILS VONT TOUS DANS CETTE VILLE ? ELLE EST SUPER DANGEREUSE !

QUELLE VILLE ?

TU ÉCOUTES PAS, OU QUOI ? BOUPORTAN ! ILS DEVRAIENT LE SAVOIR POURTANT.

ÇA FAIT DES ANNÉES QU'IL Y A PLEIN DE GENS QUI MEURENT LÀ-BAS, TUÉS À BOUPORTAN !

JE SERAIS LES AGENCES DE VOYAGES DE CE PAYS, JE RAYERAIS BOUPORTAN DE MES DESTINATIONS, MOI.

ALLER BRONZER À BOUPORTAN, C'EST TROP DANGEREUX ! PLUTÔT MOURIR !

MIROIR, DIS-MOI QUI EST LA POUBELLE ?

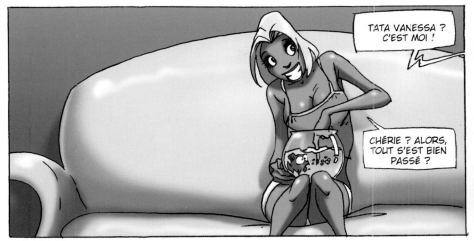

DRAGUE DURE

TU DANSES ?

BEN NON, LÀ, JE SUIS ASSISE. ÇA SE VOIT PAS ?

PFFUU, ET ON DIT DES BLONDES...

TU VEUX UN VERRE ?

HMM... OUI.

TIENS.

COMBIEN JE TE DOIS ?

MAIS NON, LAISSE, C'EST POUR MOI !

POUR TOI ?

DÉSOLÉE... JE CROYAIS QUE C'ÉTAIT POUR MOI...

J'EN AI ASSEZ, À CHAQUE FOIS, JE TOMBE SUR UN ALCOOLIQUE QUI NE PENSE QU'À LUI...

MANQUE D'ASSURANCE

VANESSA, TU AS ENCORE OUBLIÉ NOTRE RENDEZ-VOUS...

HOUHOU ! ANNE ! JE SUIS LÀ !

OH, MA PAUVRE CHÉRIE, QUE S'EST-IL PASSÉ ?

ON A EU UN PETIT ACCIDENT DE VOITURE.

C'EST BIEN LA CAMPAGNE, MAIS LES PAYSANS LAISSENT PLEIN DE CHOSES SUR LES ROUTES.

QUOI ?

UNE VACHE.

MEUH ?

ET C'EST DIFFICILE À ÉVITER UNE VACHE.

PAR LA GAUCHE !

PAR LA DROITE !

PAS SI VITE !

CRASH MEUUUUHH OUILLE !

MAIS... JE NE COMPRENDS PAS, VOUS ÉTIEZ À HUIT DANS UNE VOITURE ?

AH NON, QUATRE...

C'EST DE LA FAUTE DE L'ASSURANCE. ILS VOULAIENT UNE RECONSTITUTION.

UNE EXPERTISE.

C'EST ÇA. UNE EXPERTISE. UNE RECONSTITUTION. C'EST LA MÊME CHOSE.

ET C'ÉTAIT PAS SYMPA POUR LA VACHE.

ILS EXAGÈRENT, QUAND MÊME. ÇA FAIT DES FRAIS.

DOUCHE FROIDE

BONJOUR, MA CHÉRIE ! JE SUIS EN PLEINE PEINTURE !

DIS, JE PEUX ALLER NETTOYER MES BOTTES DANS LA SALLE DE BAINS ?

BIEN SÛR, MAIS...

J'AI PRIS LE RACCOURCI...

... PAR LE CHANTIER, ET JE M'EN SUIS MIS PARTOUT...

TU FAIS ATTENTION, HEIN, LA PEINTURE DE LA SALLE DE BAINS EST ENCORE FRAÎCHE. C'EST DE LA PEINTURE À LA BROSSE,

UNE GOUTTE D'EAU ET TOUT EST À REFAIRE.

FAIS-LE DANS LA DOUCHE PLUTÔT QUE DANS LE LAVABO.

NE T'INQUIÈTE PAS, JE VAIS FAIRE ATTENTION.

FAIRE ATTENTION, FAIRE ATTENTION...

OUPS !

C'EST TOUT TORSADÉ, C'EST POUR ÇA...

PFFF, J'AI BIEN CRU QUE J'ALLAIS FAIRE UN PEU...

... D'ÉCLABOUSSURES...

Gaby + Zack

24

JEU DE MAINS

LES ANT BIOTIQUES, C'EST PAS AUTOMATIQUE

ON JOUE À TASSE TASSE ?

REGARDE LES BLONDES, JE VAIS FAIRE UNE BLAGOUNETTE ! LE COUP DE LA TASSE DE GAUCHER, JE LA POSE AVEC L'ANSE DU MAUVAIS CÔTÉ.

LES DEUX CAFÉS POUR LES DEMOISELLES...

MERCI BIEN.

TU VAS VOIR, JE TE PARIE QU'ELLE VA ME DEMANDER DE LUI DONNER UNE TASSE DE DROITIER.

C'EST TROP FACILE AVEC LES BLONDES.

ON PARIE QUOI ?

10 EUROS ?

TENU.

NON, J'Y ARRIVE PAS...UI...

ATTENDS !

SERVEUR, S'IL VOUS PLAÎT !

OUI, MESDEMOISELLES ? VOUS AVEZ UN PROBLÈME ?

NOUS SOMMES JUSTE UN PEU PRESSÉES, NOUS POUVONS VOUS RÉGLER TOUT DE SUITE ?

HEU... OUI... JE ... OUI...

TIENS, MA CHÉRIE.

MERCI, ATTENTION, TU VAS EN RENVERSER.

IL EST TOUT DE MÊME FORT LE SERVEUR. IL SAVAIT QU'UNE DE NOUS DEUX ÉTAIT GAUCHÈRE. IL FAUDRA LUI LAISSER UN POURBOIRE.

UN PETIT, ALORS, PARCE QU'IL NE SAVAIT PAS LAQUELLE. IL AVAIT QU'À MOITIÉ BON. IL EST QU'À MOITIÉ FORT ET IL A QU'UNE MOITIÉ DE POURBOIRE.

Gaby + Dzack

DÉPÊCHE-TOI, SINON, TU VAS ÊTRE EN RETARD.

MAIS NON, TATA VANESSA, IL Y A ENCORE LE TEMPS.

AH, J'Y CROIS PAS ! ELLE EST TELLEMENT BLONDE QU'ELLE EST SORTIE EN PYJAMA.

AH ?

BEN, NON...

TATA, IL PARLE DE MOI, IL CROIT QUE C'EST UN PYJAMA.

AH OUI, JE VOIS ! VOUS AVEZ CONFONDU, MONSIEUR ! CE N'EST PAS UN PYJAMA, C'EST UN KIMONO. LA PETITE FAIT DU KARATÉ.

VOYEZ-VOUS ÇA ? ET COMMENT ?

LEUR PROFESSEUR LEUR APPREND À FRAPPER, MAIS AUSSI À SE MAÎTRISER, REGARDEZ.

RÉVERBÈRE !

ET ALORS ?

RIEN, JUSTEMENT.

ET MAINTENANT... KARATÉ, RÉVERBÈRE !

KAÏÏÏ

TIONG

KARATÉ, BOÎTE AUX LETTRES !

NIAK !

KAÏÏ

C'EST IMPRESSIONNANT, HEIN ?

ON S'EST ENTRAÎNÉES À LA MAISON TOUTE LA JOURNÉE, AUJOURD'HUI, ELLE A UNE COMPÉTITION !

ELLE RÉAGIT AU QUART DE TOUR.

TU PARLES...

... KARATÉ, MON CUL !

KAÏÏÏ

ON SE FAIT UNE TOILE ?

... ET ALORS, J'AI TROUVÉ LA RÉPONSE. "UNE GRENOUILLE !"

TROP FORT, NON ?

MESDEMOISELLES ! VEUILLEZ M'EXCUSER !

MESDEMOISELLES, JE SUIS NAVRÉ DE VOUS IMPORTUNER, MAIS JE ME DEMANDAIS...

...ACCEPTERIEZ-VOUS QUE JE VOUS PRENNE COMME MODÈLES ET QUE JE VOUS PEIGNE ?

POURQUOI IL VEUT ME PEIGNER ? ILS SONT PAS BIEN, MES CHEVEUX ?

IL VEUT NOUS PEINDRE. PAS NOUS PEIGNER.

BEN, IL AURAIT DÛ LE DIRE, ALORS...

NON, JE SUIS DÉSOLÉE, CELA NE NOUS INTÉRESSE PAS.

PARDONNEZ-MOI SI J'INSISTE, MAIS JE SUIS PRÊT À VOUS RÉMUNÉRER, SI VOUS ACCEPTEZ.

JE PEUX VOUS OFFRIR 300 EUROS, SI VOUS LE DÉSIREZ.

300 EUROS, C'EST SÛR, C'EST UNE SOMME.

ET JUSTE POUR NOUS PEINDRE ?

OUI, RIEN DE PLUS, MESDEMOISELLES.

ALORS, D'ACCORD POUR 300 EUROS, VOUS POUVEZ NOUS PEINDRE.

MAIS APRÈS, IL FAUDRA NOUS DIRE COMMENT ENLEVER LA PEINTURE, HEIN ?

PARCE QUE ÇA ATTAQUE LA PEAU, CES PRODUITS-LÀ...

LEÇON DE SÉDUCTION

INSÉCURITÉ SOCIALE

LEÇON DE POLITIQUE

ALORS, IL EST OÙ LE MAGASIN ? TU LE RETROUVES ?

J'ÉTAIS CERTAINE QU'IL ÉTAIT DANS CETTE RUE... NON...

JE NE SAIS PAS... JE SUIS COMPLÈTEMENT À L'OUEST...

HEU...

AH NON, JE CROIS PAS, NON.

QU'EST-CE QUE TU VEUX DIRE ?

BEN... TU ES PAS À L'OUEST. JE DIRAIS QUE TU ES PLUTÔT AU SUD, LÀ.

QUOI ?

TU TE REPÈRES AU SOLEIL ? OU TU AS UNE BOUSSOLE INTÉGRÉE ? TU REGARDES LA MOUSSE DES ARBRES ?

OH NON, JE SAIS TOUT LE TEMPS OÙ EST LE NORD.

C'EST GÉNIAL ! COMMENT ?

QUAND J'ÉTAIS JEUNE, J'ÉTAIS EN VACANCES À LA CAMPAGNE ET MONSIEUR MAQUIGNON M'A TOUT EXPLIQUÉ DE LA NATURE.

C'EST FACILE, CRÉVINDIOU, LE NORD, IL EST À DROITE QUAND TU SORS DE LA MAISON. VERS LE TAS DE FOIN.

ALORS, JE SAIS QUE LE NORD, IL EST LÀ. ET TOI, TU ES PAS À L'OUEST DU TOUT.

PLUTÔT AU SUD.

EN VILLE, C'EST PLUS DUR, IL Y A PAS DE TAS DE FOIN POUR SE REPÉRER.

OUAIS, TATA VANESSA ! ON VA À LA PISCINE ! OUAIS ! J'ADORE !

D'ACCORD, MAIS TU RESTERAS DANS LE PETIT BASSIN, D'ACCORD ? TU ES ENCORE UN PEU TROP PETITE.

OUAIS ! D'ACCORD ! OUAIS ! ON VA À LA PISCINE !

ON Y VA TATA, ON Y VA ?

OUI, MAIS TU RESTES DANS LE PETIT BAIN, D'ACCORD !

BIEN SÛR TATA ! JE T'AI DIT OUI ! JE VAIS JOUER AVEC MES COPINES ET MES COPAINS !

JE PEUX Y ALLER TATA ? JE PEUX Y ALLER ?

D'ACCORD, MAIS TU RESTES DANS LE PETIT BAIN.

OUAIIIIS !

OH, MAIS... QU'EST-CE QU'ELLE FAIT ?

MA CHÉRIE, QU'EST-CE QUE TU FAIS ? TU M'AS DIT QUE TU RESTERAIS DANS LE PETIT BAIN !

MAIS, TATA VANESSA, J'Y SUIS DANS LE PETIT BAIN !

LÀ, TU ES DANS LE PETIT BAIN.

TOUT À L'HEURE, TU ÉTAIS DANS LE MOYEN BAIN.

À LA PISCINE, IL Y A LE PETIT BAIN, LE GRAND BAIN ET AU MILIEU, LE MOYEN BAIN.

AMUSE-TOI BIEN, MA CHÉRIE !

AH, NON...

Gaby + Zack

COMME DANS LES FILMS

BRRRRR...

BRRR... PAS ENCORE...

ALLEZ, MA PETITE DAME, IL FAUT CIRCULER, LÀ, VOUS ALLEZ PRENDRE FROID, COMME ÇA.

NON, NON, ÇA VA, J'ATTENDS UNE AMIE. ELLE VA ARRIVER.

ELLE A DIT QU'ELLE PASSAIT À MOINS VINGT...

MAIS...

C'EST PAS UNE MONTRE, C'EST UN THERMOMÈTRE...

PIP PIP !

-20°

AH, VOUS VOYEZ, ELLE EST PONCTUELLE !

MAIS...

PIP PIP !

YOUHOU ! MA CHÉRIE !

MAIS...

AH ?

C'EST TOUT DE MÊME GÉNIAL CE QU'ON PEUT SE PERMETTRE QUAND ON EST BLONDE.

VANESSA, TU NE CONNAIS PAS TA CHANCE...

NON, C'EST QUI ?

AÏE !

TOMBÉE À PLAT

FRANCHEMENT, J'EN AI ASSEZ. LES BLONDES LA BD, LES BLONDES LE DESSIN ANIMÉ, LES BLONDES, LES BLONDES ...

MOI JE TROUVE ÇA SYMPA, EN PLUS, ELLES TE RESSEMBLENT UN PEU...

POURQUOI PAS LES BLONDES LES BRIQUETS, PENDANT QU'ILS Y SONT ?

NON, NE ME DIS RIEN.

SI JE TENAIS CEUX QUI ONT FAIT...

QUOI ? LES BRIQUETS ?

J'EN TIENS UN !

C'EST UN VENDEUR DE LES BLONDES !

IL VA VOIR CE QU'IL VA ENTENDRE !

VANESSA, TU ES SÛRE QUE...

BONJOUR ! JE M'APPELLE VANESSA ! J'EN AI ASSEZ ! TOUS LES JOURS, ON ME RACONTE DES BLAGUES DE BLONDES ! ET ÇA, C'EST À CAUSE DE VOUS !

VANESSA...

ET ARRÊTEZ DE SOURIRE ! VOUS ÊTES ÉNERVANT.

MIGNON, MAIS ÉNERVANT.

ON PEUT PAS LE LAISSER COMME ÇA.

NON, ON PEUT PAS.

ÇA FAIT LA CINQUIÈME DEPUIS CE MATIN.

ON VA LE METTRE À L'INTÉRIEUR, IL Y A MOINS DE RISQUE. ELLES NE RENTRENT JAMAIS DANS LE MAGASIN.

AH ?

ALLEZ, VIENS.

ARGUMENTS DE POIDS

VANESSA, TU N'AS PAS VU MON ORDINATEUR PORTABLE ?

NON, MON CHÉRI !

MAIS IL FAUT CHANGER LA BALANCE, ELLE AFFICHE N'IMPORTE QUOI !

NAVRANTS

DITES, LES RIGOLOS, ON VOUS AVAIT PAS DIT QU'IL FALLAIT PAS LA FAIRE CELLE-LÀ ?

OUI, MAIS ON AVAIT DIT AUSSI QU'ON LA PASSERAIT QUAND ON AURAIT PLUS DE POIDS.

VOUS ÊTES LOURDE.

AH, TU AS VU, ÇA VEUT DIRE QU'ON A PRIS DU POIDS, ÇA. DONC ON PEUT LA PASSER.

AH ?

HEU... ET GABY ?

OUI ?

FAYOT.

AH ?

ON VOUS AURA PRÉVENU, ON LEUR AVAIT DIT DE NE PAS LE FAIRE.

TU TE SOUVIENS DE E.T. ? QUEL CHEF-D'ŒUVRE ! JE N'AI JAMAIS AUTANT PLEURÉ DURANT UN FILM.

MOI AUSSI. VRAIMENT, QU'EST-CE QU'ILS SONT MÉCHANTS AVEC LUI !

UN JOUR, ON RENCONTRERA PEUT-ÊTRE DES EXTRATERRESTRES, QUI SAIT...

OUI, MAIS IL FAUDRA ÊTRE TRÈS GENTILS AVEC EUX, SINON, ILS NE REVIENDRONT PLUS...

... MAIS ?!

REGARDE, LÀ !

CETTE FORME, CETTE LUMIÈRE ! C'EST UN OVNI ! C'EST UN EXTRATERRESTRE !

MAIS VANESSA, ATTENDS !

HEU... BONJOUR, MONSIEUR L'EXTRATERRESTRE. VOUS ÊTES ARRIVÉ SUR TERRE ET J'ESPÈRE QUE VOUS VENEZ EN PAIX. NE VOUS INQUIÉTEZ PAS, NOUS SERONS GENTILS AVEC VOUS !

JE M'APPELLE VANESSA ! COMMENT VOUS APPELEZ-VOUS ?

BONJOUR, VANESSA. JE M'APPELLE SERGE. C'EST MON AMBULANCE QUE TU VOIS DERRIÈRE MOI.

ET MAINTENANT, J'AIMERAIS BIEN QUE TU ME LAISSES FAIRE CACA.

MAIS PUISQUE TU ES LÀ, TU PEUX ME PASSER LE ROULEAU DE PAPIER, LÀ, SUR LA BRANCHE ?

Gaby + Dzack

Les CANCRES

Gaby - Pijo - Ghorbani

Recommandé par LES BLONDES

TeuqcawnaeJ RaP eégirid eirés eNu

© MC PRODUCTIONS / GABY / DZACK
Soleil Productions
15, Boulevard de Strasbourg
83000 Toulon - France

Bureaux parisiens
25, Rue Titon - 75011 Paris - France

Réalisation graphique : Studio Soleil

Dépôt légal : Mai 2008 - ISBN : 978 - 2 - 30200 - 193 - 0

Impression : PPO Graphic - Palaiseau - France